Tere de las Casas

Cuauhtémoc

SELECTOR
actualidad editorial

SELECTOR
actualidad editorial

Doctor Erazo 120 Colonia Doctores México 06720, D.F.
Tel. 55 88 72 72 Fax. 57 61 57 16

CUAUHTÉMOC
Autora: *Tere de las Casas*
Ilustración de interiores: Sergio Osorio
Diseño de portada: Sergio Osorio

Copyright © 2003, Selector S.A. de C.V.
Derechos de edición reservados para el mundo

ISBN: 970-643-691-X

Segunda reimpresión. Agosto de 2005.

Sistema de clasificación Melvil Dewey

920.71
C11
2003

de las Casas, Tere; 1956.
Cuauhtémoc / Tere de las Casas,
Cd. De México, México: Selector, 2003.
48 p.

ISBN: 970-643-691-X

1. Historia. 2. Historia de México. 3. Biografía.

Contenido

Con mucho cariño,
para Jonathan Jadad

Prólogo

Hace muchos años, aquí, en estas tierras que estoy pisando, se levantó una de las ciudades más bellas y majestuosas que hayan existido jamás: la Gran Tenochtitlan, capital del Imperio Azteca.

Los aztecas, a quienes también se nos conocía como mexicas, fuimos los creadores de una civilización muy culta y avanzada.

Soy Cuauhtémoc, el último emperador azteca. Fui un guerrero que representaba al águila, y mi nombre significa: águila que cae. Tal parece que los sacerdotes adivinos que lo eligieron, conocían de antemano mi caída y la del poderoso imperio que gobernaría.

Cuando los españoles tomaron nuestra ciudad, fui apresado y conducido ante Hernán Cortés. Le pedí que me diera muerte ahí mismo, pero se negó.

Así, antes de morir, tuve que sufrir muchas humillaciones y el tormento de que me quemaran los pies, pero lo más doloroso fue ver a mi gente esclavizada y maltratada.

Todos conocen mi triste final, pero pocos han leído sobre los aspectos felices de mi vida, especialmente los de mi infancia, que fueron muchos y muy gratos, como verás en los próximos capítulos.

Mi nacimiento

Una tarde del año de mil quinientos dos, una mujer solicitó permiso para dirigirle unas palabras a Ahuizotl, el octavo emperador azteca. Cuando se presentó ante el gran Señor, hizo una profunda reverencia y le dijo con mucho respeto:

–¡Oh, gran Señor de los mexicas!, la princesa tlatelolca, Tiyacapantzin, le ha dado a usted un heredero y sucesor.

La noticia de mi nacimiento causó gran alegría a mi padre, pero no lo demostró, porque los aztecas éramos personas serias, y nos parecía de pésimo gusto expresar abiertamente nuestras emociones. Se contentó con dar las gracias a la mensajera y despedirla cortésmente.

La partera y sus asistentes enterraron el cordón umbilical que me unió a mi madre, junto con unas flechas y un escudo muy pe-

queños. Esta tradición se seguía con todos los varones aztecas, porque nuestra principal misión en la vida era defender y engrandecer nuestro imperio, mediante la práctica de la guerra.

En uno de los primeros días de mi vida, mis padres fueron a presentarme al templo de Tezcatlipoca, que significa Espejo Humeante, pero que, en su calidad de dios de los niños, recibía el nombre de Tepochtli, cuyo significado es El Muchacho, y se le representaba como un joven vestido con taparrabo y con rayas de colores pintadas en la cara y las piernas. Mis papás me encomendaron a él; oraron ante su imagen, y depositaron ricas ofrendas a sus pies.

Lamentablemente, papá murió ese mismo año. Y, aunque no lo recuerdo, me siento muy orgulloso de ser su hijo, porque me contaron sus grandes hazañas. Con mamá sí tuve la fortuna de vivir, hasta que entré a la escuela. Conmigo fue, como la mejor de las madres, tierna, solícita y amorosa. La quise mucho.

El orgullo de ser azteca

¿Conoces alguna persona que crea que los morenos son feos? Pues yo pertenezco a una raza que no se creía, sino que se sabía hermosa, principalmente por su piel oscura y sus cabellos negros. Ningún azteca habría intentado jamás blanquearse la piel ni decolorarse el pelo.

Dicen que la blancura de los españoles nos asombró tanto, que los confundimos con dioses. Por favor no creas eso. A la llegada de los conquistadores, reinaba Moctezuma II, un emperador débil y supersticioso, que se dejó impresionar por los extranjeros. Pero a los demás aztecas no nos engañaron; desde el primer contacto con ellos, nos dimos cuenta de que eran hombres, como nosotros.

Te juro con mi corazón azteca, que no los creímos dioses, ni siquiera seres humanos superiores. Tampoco los envidiamos ni quisimos parecernos a ellos. Nosotros amábamos lo nuestro y nos amábamos a nosotros mismos. Éramos dueños de una tierra hermosa; una lengua dulce y poética; una cultura admirable; un arte exquisito; y unos dioses a los que venerábamos mucho.

Los pueblos cultos respetan a las otras culturas y aprenden de ellas. Por ello, en la Gran

Tenochtitlan podían apreciarse multitud de influencias de culturas ajenas, en la religión, las artes, las ciencias y las costumbres.

Si los españoles hubieran sido respetuosos, tanto su civilización como la nuestra se habrían enriquecido enormemente, porque teníamos mucho que darnos y enseñarnos unos a otros, pero a ellos los dominaba la vanidad, y despreciaron todo lo nuestro.

Si conocieras a un niño extranjero, aprenderías mucho de él. Pero si no lo respetaras y le dijeras que su cultura es inferior y que debe

ser como tú, seguramente él se enojaría muchísimo y nunca querría ser tu amigo.

Por eso no quisimos ser amigos de los españoles.

La emoción de correr

Cuando un niño aprende a caminar y empieza a sentirse seguro, desplazándose con sus pies, un impulso incontenible lo induce a pegar la carrera. ¡Qué alegría! ¡Qué gran emoción le provoca su capacidad para correr!

Al principio, sólo puede salvar cortas distancias y a muy escasa velocidad, pero, poco a poco, va adquiriendo pericia, y cada día llega más y más lejos, y con mayor rapidez.

Yo logré dominar mis piernas, como a los seis años de edad. Mamá empezó a verse en aprietos, porque se cansaba mucho, tratando de seguirme el paso, y como no quería reprimirme ni pudo convencerme de que bajara la velocidad, ordenó a uno de sus servidores que corriera conmigo, para que me cuidara. Cuando ya estaba muy cansado, daba media vuelta y regresaba con mamá.

Me echaba a sus brazos, ahogado por la risa que me causaba tanto gozo, y ella llenaba de besos mi rostro empapado en sudor.

Aunque contábamos con una gran extensión boscosa, yo prefería correr dentro de mi ciudad, de la que tan orgullosos nos sentíamos todos los aztecas, por su magnificencia y su hermosura. Desde mucho antes de que la llamaran la Ciudad de los Palacios, mereció tal nombre. El sector más impresionante lo constituía la parte dedicada al culto, denominado Coatepantli, un conjunto de setenta y

ocho suntuosos edificios, compuesto por templos y palacios. El más importante era el Templo Mayor. Ese sector estaba cercado por un alto muro, adornado con cabezas de serpientes. Era también notable la extrema limpieza de las calles, en las que no podías encontrar ni una basurita, los pisos relucían como recién pulidos.

Corrí también por el mercado de Tlatelolco, célebre en todo el mundo conocido, por la sorprendente variedad de productos que en él se vendían, tanto de procedencia local, como traídos de los lugares más remotos. Allí podías comprar hermosísimas plumas de aves exóticas; ropa finamente bordada, piedras preciosas, multitud de obras de arte, artículos domésticos y toda clase de alimentos. No sé qué era lo que más me impresionaba del mercado, si el colorido que le daban tantos productos, o el intenso ruido que provocaban las voces de los compradores y vendedores. Muchos de ellos venían de sitios muy lejanos y no hablaban bien nuestra lengua.

En el transcurso de mi carrera, chocaban velozmente en mis ojos, una tras otra, todas las bellezas y maravillas de mi ciudad, llenándolos de asombro y admiración.

Otra de mis diversiones favoritas era navegar en pequeñas embarcaciones, por los canales de la ciudad. Seguramente sabes que fue construida sobre un lago, donde mis antepasados hallaron un águila posada sobre un nopal, devorando una serpiente, que fue la señal que Huitzilopochtli, el dios de la guerra y nuestra divinidad principal, les dio para indi-carles el sitio donde quería que construyeran su capital.

Cómo jugábamos los niños aztecas

Mi lengua materna es el náhuatl, pero tú, que hablas español, ¿te has fijado que cuando juegas utilizas el mismo tiempo verbal que empleas para contar un sueño? Dices, por ejemplo: yo era el papá y me iba a trabajar o tú eras doctora y me curabas. ¿Por qué usas ese tiempo, en vez del presente o el futuro? Yo pienso que porque, al jugar, sueñas que eres grande. Ésa es también la razón por la que casi todos los juguetes son versiones en miniatura de los objetos que usan los adultos. Con el juego, los niños se preparan para las actividades que desempeñarán en el futuro.

Si los varones aztecas estábamos destinados a la guerra, desde nuestro nacimiento, ¿a qué más podíamos jugar si no a la guerra?

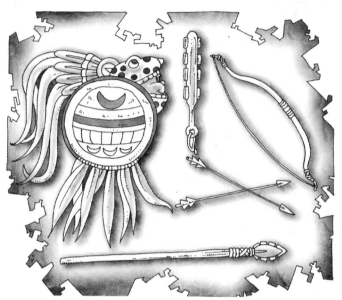

Así pues, nuestros juguetes consistían en pequeños escudos, arcos, flechas, puñales, atuendos de guerreros y penachos de grandes señores. Pero no creas que había una industria del juguete, como ahora. La mayor parte de las cosas con las que jugábamos eran transformadas en juguetes por nuestra imaginación o nuestra creatividad.☐

Igual que tú, mis amigos y yo planeábamos todo lo que íbamos a hacer, antes de empezar a jugar. Como nuestro pueblo siempre estaba en guerra, formábamos dos grupos, uno representaba a los nuestros y el otro, al bando contra el que en esos días peleaban los adultos. Naturalmente, todos queríamos ser aztecas, así que dejábamos que la suerte lo decidiera, lanzando al aire unos frijoles marcados.

Mis mejores amigos eran Opochtli y Yoztachimal. Siempre guerreábamos juntos, porque nos habíamos prometido acompañarnos y apoyarnos, cuando fuéramos enviados a una batalla verdadera.

Si tenía la suerte de ser azteca, representaba al águila, porque mi más grande anhelo era llegar a ser un guerrero de esa orden militar. Afortunadamente lo conseguí. Algunos compañeros preferían representar al jaguar. En el caso de que me tocara ser enemigo, luchaba con bravura, porque sabía que los valerosos guerreros aztecas se las veían muy duras para derrotar a sus adversarios en el campo de batalla.

Cuando yo nací, habían pasado ya diez años desde que Cristóbal Colón conoció este continente. Por cierto que él no descubrió América. Mis antepasados llegaron aquí por el Estrecho de Bering, muchísimos años antes.

Pero, como te decía, Colón ya había navegado hasta aguas americanas, cuando mis amigos y yo jugábamos a la guerra. Un día, Opochtli propuso que el bando enemigo estuviera formado por aquellos extranjeros de los que habíamos oído hablar un poco.

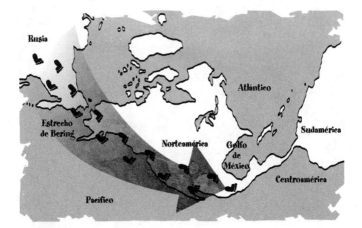

Ese juego se quedó grabado por siempre en mi mente y, mira lo que son las cosas, yo estuve en el bando de los aztecas, y logramos derrotar a los invasores.

Nuestros juegos eran rudos, como suelen ser los de los varones, pero no nos hacíamos daño. Sólo acababan lastimados los chicos que se caían o se golpeaban accidentalmente con alguna cosa.

Los juegos
y juguetes aztecas

Además de pelotas y objetos de adultos en miniatura, los niños jugábamos con una especie de carritos. Esto es algo sorprendente, porque no conocíamos el uso de la rueda. Tampoco teníamos animales de tiro, monta o carga. Sin embargo, los niños jalábamos unas figuras de animales que tenían una rueda en cada pie. Es extraño que a un pueblo tan inteligente como el nuestro no se le haya ocurrido hacer un uso práctico de la rueda. Tal vez, porque le dábamos mucha importancia al ejercicio físico, y caminar largas distancias y cargar cosas pesadas nos ayudaba a fortalecer nuestros músculos. Así que nunca nos interesó idear un modo de facilitarnos esas tareas.

Xochipilli, cuyo nombre significa Flor Preciosa, era el dios de los juegos, y a él le consagrábamos nuestra diversión.

A los niños nos gustaba asistir al célebre juego de pelota, el ollamaliztli,☐ que los adultos practicaban en un campo llamado tlachtli, en cuyos muros había unos grandes anillos de piedra, por donde debía hacerse pasar una pelota de hule. Los jugadores no podían tocar la pelota con las manos, sólo con los codos, las rodillas, las caderas y los glúteos.

El que lograba meter la pelota por el anillo, ganaba el juego. Era agasajado como un guerrero victorioso, con cantos y bailables de alabanzas; y con obsequios, como plumas, mantos ricamente bordados, mazorcas de maíz, pepitas de oro y piedras preciosas.

El patolli era un juego de azar, que se practicaba sobre un petate que tenía marcada una cruz ancha. Dentro de sus brazos había ciento cuatro casas, el doble de los cincuenta y dos años que duraba nuestro siglo.

Cada jugador lanzaba sobre el tablero dos frijoles que tenían pintados unos puntos, como los actuales dados. Con una piedrita, avanzaba el número de casas que habían indicado los frijoles. Los hombres que se dedicaban a este juego de manera profesional, deambulaban por las calles, con el petate bajo el brazo, buscando personas que quisieran jugar. Antes de empezar, siempre le rezaban a Xochipilli para que les diera suerte. Muchas personas se acercaban apostar o, tan sólo, a presenciar el juego. Las apuestas consistían en objetos, porque nosotros no usábamos dinero, sino que practicábamos el trueque, es decir, cambiábamos unas cosas por otras.

Otro juego azteca era el totoloque. Consistía en lanzar pequeñas piezas de oro en un campo de cinco líneas, tratando de llegar lo más lejos posible, sin tocar raya.

La música y la danza

Es cierto, los aztecas éramos violentos, mas ello no impidió que mostráramos una gran sensibilidad para las artes. Destacamos principalmente en arquitectura, pintura y escultura. También teníamos talento para bailar y crear música.

Un instrumento musical no debe ser feo, porque produce sonidos bellos. Así que nuestros artesanos los tallaban y pintaban con dedicación, para darles las formas más variadas, especialmente de figuras de animales. Nuestros instrumentos principales eran los siguientes: el teponaztli, hecho con un tronco ahuecado, con unas lengüetas de madera, que sonaban al golpearlo. El huehuetl era también un tronco ahuecado, sobre el que llevaba muy bien restirada una piel de vena-

do, víbora o tigre, se golpeaba con las manos, como un tambor. En su parte inferior tenía tres o cuatro pies tallados. El ayacachicauaztli se componía de dos tablas con pequeños discos de metal, como un pandero. Nuestros instrumentos de viento incluían diversas clases de flautas y silbatos, como el huicalapitzitli, con el que podíamos imitar el canto de algunos pájaros. El teccistli era un caracol marino, con perforaciones que se tapaban con los dedos y se descubrían alternativamente, para, al soplar, producir distintos sonidos. No conocíamos los instrumentos de cuerda, el más parecido a ellos era el tahuitl, un arco colocado sobre una calabaza que le servía de resonador, se tañía con los dedos de la mano derecha. El ayotl era como un güiro de hueso. También tocábamos las conchas de tortuga, ya fuera golpeándolas o rascándolas con un cuerno de venado. Las conchas marinas las golpeábamos contra el suelo. En los cinturones nos colgábamos caracolitos en hileras, para que, cuando bailáramos, sonaran como campanitas. Además, usábamos gran diversidad de sonajas y cascabeles, hechos de calabacitas, guajes, barro, oro, palma, madera, semillas y frutos secos de ciertas plantas.

Nuestra vida entera estaba consagrada a los dioses, casi todo lo hacíamos por y para ellos. Les gustaba mucho ser venerados con cantos y bailes. En las ceremonias más solemnes sólo participaban los sacerdotes, las doncellas dedicadas al culto y los guerreros, ataviados con hermosos atuendos, grandes penachos; orejeras de oro, collares de piedras preciosas, ajorcas en las muñecas y en los antebrazos; y mantos ricamente bordados.

También se celebraban fiestas públicas, en las que a todos se nos permitía bailar, pero debíamos vestir elegantemente, con mantos, joyas, flores y bellas plumas.

Mi ingreso
al Calmecac

A los hijos de los señores se nos llamaba pilli, y nuestra escuela era el Calmecac, a la que ingresábamos a los ocho años de edad, porque, por nuestro linaje, pertenecíamos a la clase dirigente y militar. Se nos debía preparar para suceder a nuestros mayores.

El primer día de clases es siempre difícil, uno tiene miedo de presentarse ante tantos niños y maestros desconocidos, de no saber cómo comportarse, de que le den ganas de llorar, y de que se burlen de uno. Pero también siente uno emoción y alegría, porque ha llegado a la edad en que ya se le permite empezar a aprender las cosas que saben los adultos.

Te aseguro que ese día fue mucho más difícil para mí que para ti, porque tú regresaste a casa después de clases, pero yo me quedé a vivir en el Calmecac, y nunca más tuve la dicha de gozar del cálido y amoroso hogar que mamá hizo siempre para mí.

Como era huérfano de padre, me llevaron a la escuela mis tíos, Ixtacuechachuac, señor de Tula, y Tezozomoctli, señor de Ecatepec. Por cierto que también era mi tío, Moctezuma Xocoyotzin, que en esos años ocupaba el trono.

Nos recibieron el sumo sacerdote, el encargado del culto a Huitzilopochtli, y el responsable del culto a Tláloc, el dios de la lluvia.

Ante esos grandes señores, mis tíos me aconsejaron ser obediente, humilde, estudioso, moderado en mis costumbres y, sobre todo, fuerte. Me dijeron que yo era una especie de piedra preciosa en bruto y que debían pulirme, para que brillara, pero que eso me dolería mucho.

Cuando se fueron mis tíos, me cortaron el cabello. Sólo me dejaron una mecha en la nuca, llamada piochtli, que cortaría cuando tomara a mi primer prisionero de guerra.

Los maestros eran muy estrictos y severos. Nos daban muy poco de comer; sólo nos dejaban dormir unas cuantas horas; debíamos bañarnos con agua fría y trabajar muy duro, tanto en el estudio, como haciendo el aseo de la escuela. Además, teníamos que pincharnos las piernas con espinas de maguey, para ofrecer nuestra sangre a Huitzilopochtli.

Pero no nos hacían la vida dura por maldad, sino porque era necesario que fortaleciéramos nuestro cuerpo y nuestro carácter. Los guerreros aztecas debían ser fuertes y valientes.

También hacíamos mucho ejercicio y nos enseñaban las tácticas y las reglas de la guerra.

Las lecciones teóricas incluían oratoria, historia, astronomía y religión. Las que más me gustaban eran las de la historia de nuestro pueblo, me fascinaba que los maestros nos contaran las grandes hazañas de los guerreros mexicas. Soñaba con convertirme en uno de ellos.

Tres años más tarde, poco después de que cumplí los once, se realizó la primera selección para enviar a los jóvenes a la guerra, aunque no para pelear, sino para ayudar y servir a los combatientes. Opochtli, Yoztachimal y yo tuvimos la suerte de ser elegidos, porque éramos muy buenos alumnos.

Así empezó mi vida de guerrero, que llegó a su fin cuando los aztecas perdimos para siempre nuestros dominios.

Datos importantes para la escuela

1502: Mi madre me dio a luz.

1510: Ingresé al Calmecac.

8 de noviembre de 1519: Hernán Cortés y sus soldados llegaron a la ciudad de Tenochtitlan. Fueron recibidos por mi tío, el emperador Moctezuma II.

Junio de 1520: Mi tío Cuitláhuac ascendió al trono.

25 de junio de 1520: Los aztecas atacamos a los españoles.

1o. de julio de 1520: Derrotamos a los españoles. Para ellos fue una Noche Triste, y Cortés lloró.

Diciembre de 1520: Sucedí en el trono a mi tío Cuitláhuac, porque murió.

Primeros meses de 1521: Comandé un ejército, para capturar a los españoles que nos acechaban.

10 de mayo de 1521: Los españoles sitiaron la ciudad, y nos defendimos heroicamente.

13 de agosto de 1521: Cayó la Gran Tenochtitlan y yo fui hecho prisionero.

26 de febrero de 1525: Me ejecutaron.

COLECCIÓN BIOGRAFÍAS
PARA NIÑOS

Cuauhtémoc
Josefa Ortiz de Domínguez
Miguel Hidalgo
Pancho Villa

COLECCIONES

Belleza
Negocios
Superación personal
Salud
Familia
Literatura infantil
Literatura juvenil
Ciencia para niños
Con los pelos de punta
Pequeños valientes
¡Que la fuerza te acompañe!
Juegos y acertijos
Manualidades
Cultural
Medicina alternativa
Clásicos para niños
Computación
Didáctica
New Age
Esoterismo
Historia para niños
Humorismo
Interés general
Compendios de bolsillo
Cocina
Inspiracional
Ajedrez
Pokémon
B. Traven
Disney pasatiempos
Mad Science
Abracadabra
Biografías para niños
Clásicos juveniles

Esta edición se imprimió en Agosto de 2005. Acabados Editoriales Tauro
Margarita No. 84 Col. Los Angeles Iztapalapa México, D.F.

SU OPINIÓN CUENTA

Nombre ....

Dirección ....

Calle y número ....

Teléfono ....

Correo electrónico ....

Colonia .... **Delegación** ....

C.P .... **Ciudad/Municipio** ....

Estado .... **País** ....

Ocupación .... **Edad** ....

Lugar de compra ....

Temas de interés:

- □ *Negocios*
- □ *Superación personal*
- □ *Motivación*
- □ *New Age*
- □ *Esoterismo*
- □ *Salud*
- □ *Belleza*

- □ *Familia*
- □ *Psicología infantil*
- □ *Pareja*
- □ *Cocina*
- □ *Literatura infantil*
- □ *Literatura juvenil*
- □ *Cuento*
- □ *Novela*

- □ *Ciencia para niños*
- □ *Didáctica*
- □ *Juegos y acertijos*
- □ *Manualidades*
- □ *Humorismo*
- □ *Interés general*
- □ *Otros*

¿Cómo se enteró de la existencia del libro?

- □ *Punto de venta*
- □ *Recomendación*
- □ *Periódico*
- □ *Revista*
- □ *Radio*
- □ *Televisión*

Otros ....

Sugerencias ....

Cuauhtémoc